D1049171

LES ENQUÊTES D'ANATOLE BRISTOL

6, impasse des Mystères

24-32, rue des Amandiers, 75020 Paris – France

Direction générale : Gauthier Auzou
Responsable éditoriale : Maya Saenz-Arnaud
Assistante éditoriale : Emeline Trembleau
Conception graphique : Alice Nominé
Mise en pages : Mylène Gache
Responsable fabrication : Jean-Christophe Collett
Fabrication : Bertrand Podetti
Correction : Catherine Rigal

Loi n° 49-956 du 16 juillet 1949 sur les publications destinées à la jeunesse,
modifiée par la loi n° 2011-525 du 17 mai 2011.
Dépôt légal : septembre 2016. Imprimé en Serbie.

Produit conçu et fabriqué sous système de management de la qualité certifié AFAQ ISO 9001.

LES ENQUÊTES D'ANATOLE BRISTOL

6, impasse des Mystères

Écrit par Sophie Laroche
Illustré par Carine Hinder

AUZOU romans Pas de géant

Pour notre pétillante Jade
S. L.

1 L'amour s'expose !

Est-ce que j'ai bien entendu ?!

Quand M. Caron a demandé à Julie avec qui elle voulait préparer son exposé, elle a vraiment répondu : « Anatole ! » ? Un coup d'œil à ma camarade me confirme que je n'ai pas rêvé. Elle me sourit :

— Enfin, si tu es d'accord, Anatole, et si le sujet t'intéresse.

Pour être tout à fait honnête, la vie du général de Gaulle ne me passionne pas particulièrement, mais je veux bien tout savoir sur lui si je l'apprends auprès de Julie, ma douce Julie ! Je suis même prêt s'il le faut à étudier ses bulletins de primaire et ses menus préférés.

Je m'en veux un peu d'avoir laissé tomber Philo sur ce coup-là, mais mes remords s'envolent très vite. Quand notre maître demande qui veut travailler avec ma meilleure amie, une forêt de bras levés pousse soudainement dans la classe. Philo hésite, amusée : elle sait bien que ce succès n'est pas dû à sa popularité, mais à sa réputation d'élève très sérieuse qui fera tout le travail. D'ailleurs, elle tranche :

— Monsieur, si c'est possible, je préfère préparer mon exposé toute seule. Je pars pendant les deux semaines de vacances, je n'aurai pas l'occasion de rencontrer un de mes camarades pour travailler.

— Pas de souci, valide notre maître, avant de poursuivre : Et toi, Luca…

À la récréation, le rêve éveillé se poursuit. Julie me demande si je peux venir chez elle dès le premier lundi des vacances.

— Comme ça, on aura le temps de travailler et de jouer aussi un peu, tente-t-elle de me convaincre.

Mais je suis déjà tout convaincu ! Vaincu même, par son beau regard, son sourire… Moi qui enviais un peu Philo qui va skier deux semaines complètes, je commence à me dire que, même si je ne pars pas, je vais passer les meilleures vacances de ma vie !

Ce lundi après-midi, j'ai des crabes farceurs qui font du trampoline sur la paroi de mon estomac. Le trac. Et peut-être aussi le parfum de papa dont j'ai un peu abusé et qui me tourne la tête. Coup d'œil rapide dans la glace : ma toute nouvelle coupe de cheveux me va plutôt bien, mon jean et mon sweat-shirt achetés en urgence samedi sont vraiment cool. (Maman était ravie que pour une fois, ce soit moi qui la traîne dans les magasins et pas l'inverse.) Je suis soulagé : j'ai assuré pour ce premier rendez-vous. Puis l'angoisse me retourne l'estomac une fois encore : est-ce que j'en fais trop ?

Après tout, c'est juste une séance de travail pour un exposé…

Heureusement, Julie n'habite qu'à quinze minutes à pied de chez moi. La marche en solitaire me permet de respirer profondément, et m'épargne surtout les questions de maman dans la voiture !

C'est une Julie… aussi jolie que d'habitude qui m'ouvre la porte. Julie, jolie, il n'y a qu'une lettre qui change, remarqué-je. Mais je n'ose pas le lui dire.

— Viens, on va s'installer dans ma chambre, m'invite-t-elle.

Sa chambre est rose, comme celle de ma petite sœur Maya, pourtant là, bizarrement, je ne trouve pas ça bébé. Très sérieuse, Julie me montre ce qu'elle a déjà préparé. Je jette un coup d'œil rapide sur ce qu'elle a écrit. Il ne manque rien… ou quasiment rien !

— Julie… tu as fait tout le travail ! je constate, déboussolé.

Si tout est fait, je n'ai rien à faire ici et aucune raison de revenir demain, et après-demain, et…

— Mon grand frère est passionné d'histoire, m'explique-t-elle. Il adore tout ce qui concerne la Seconde Guerre mondiale, alors il m'a beaucoup aidée.

— Mais… mais tu n'as pas besoin de moi, alors ?

— Oh si ! s'exclame Julie.

Et mon cœur fait un bond de joie. Cet exposé, c'était un prétexte pour que nous nous

retrouvions tous les deux, je lui plais aussi mais elle n'osait pas me le dire devant tout le monde !

— Anatole, je ne sais pas comment te dire ça, je me sens bête…

Oh là là, j'ai le trac aussi, maintenant ! Vas-y, Julie, lance-toi !

— J'ai une enquête très importante à te confier. Tu es un super détective, même si c'est seulement à l'école pour l'instant, et j'ai vraiment besoin de toi.

Ah, c'était ça… Je ne sais pas si je suis déçu, soulagé ou fier. Je me lance :

— Et qu'est-ce que je peux faire pour toi ?

— Espionner mon père. Découvrir ce qu'il fait. Parce que tu vois…

La lèvre de Julie se met à trembler, et c'est un tout petit filet de voix chevrotante qui poursuit :

— Je crois qu'il aime une autre femme que ma mère.

Alerte rouge, alerte rouge, je vois carrément

le gyrophare tourner dans ma tête. C'est un travail de détective privé, pas de détective d'école qui veut être un grand policier, comme je le suis, moi. Et puis un papa qui aimerait une autre femme, c'est une histoire d'adultes, je sens que je ne dois pas m'en mêler. Mais en même temps, Julie pose sur moi des yeux à la fois si tristes, si inquiets, tellement remplis d'espoir, et si beaux, que je m'apprête à lui dire non et que je réponds :

— Oui. Bien sûr. Bien sûr que je vais t'aider.

2 Mission... impossible !

Une fois que j'ai dit oui, difficile de revenir en arrière. Mais, en vrai détective, je dois quand même vérifier qu'il y a une réelle enquête à mener. Je commence mon interrogatoire :

— Qu'est-ce qui te fait penser que ton père aime une autre femme ? Son comportement a changé ?

C'est vraiment moi qui pose ce genre de

questions ? Au secours !

— Rien de tout ça, me renseigne Julie. Il n'a jamais autant participé à la vie de la maison, il est rentré à l'heure pour venir me chercher à la danse, par exemple. Mais en même temps, j'ai l'impression qu'il a toujours la tête ailleurs. Et puis…

Julie rougit :

— Et l'autre jour, il avait une chemise blanche le matin et jaune pâle le soir. Maman ne l'a pas remarqué, mais moi, oui. Ça m'a rappelé ces films où les messieurs se retrouvent avec des traces de rouge à lèvres sur le col.

Par un signe de tête, je fais comprendre à Julie que j'ai bien saisi le message. Cette conversation me met vraiment mal à l'aise ! Je préfère changer de sujet.

— Comment percer ce mystère ? je me demande, à voix haute.

C'est que je ne suis pas du tout expert en

espionnage de papa infidèle ! (De l'espionnage, c'est bien de cela dont il était question ici...) Je ne me vois pas du tout emprunter le téléphone de M. Torrès pour lire ses SMS en douce ou pirater sa boîte email. Heureusement, Julie a déjà des idées :

— Peut-être que si tu faisais une sortie avec nous ou si tu le suivais une fois ou deux sur le chemin du travail, tu trouverais des indices qui nous échappent !

Une sortie avec Julie et sa famille, difficile de refuser !

J'ai décidé de commencer mon enquête tout en douceur, de manière très traditionnelle. Le matin, me voilà donc guettant du coin de la rue le départ de M. Torrès. Julie m'a transmis son itinéraire : il remonte à pied les rues qui mènent à la gare de RER. Je n'ai bien entendu pas prévu de monter dans le train avec lui, mais son comportement sur le trajet pourrait peut-être me donner quelques indices. En théorie…

Parce qu'en pratique, ça ne se passe pas aussi facilement ! Dès le premier matin, je réalise vite ma première erreur : je ne me suis pas équipé pour une longue filature en extérieur au mois de février. Le froid transperce vite mes chaussures de sport. En même temps, je ne pouvais pas non plus partir avec mes bottes fourrées. Déjà que ma mère a été très étonnée d'apprendre que j'avais décidé de me mettre au footing, tôt le matin en plus… Si j'étais parti courir en après-ski, elle m'aurait arrêté net !

Ma deuxième erreur, c'est d'avoir cru qu'il était facile de suivre sans être vu ! Hier, j'ai perdu la trace du papa de Julie. Ce matin, il s'est retourné et vient de me voir. Comme ils habitent dans une impasse, c'est rare que des passants s'y baladent, surtout de mon âge et si tôt le matin. Du coup, je fais semblant de regarder le portail de la maison devant laquelle je me trouve, comme si je cherchais une adresse précise dans cette rue. J'ai eu chaud !

Vraiment, cette mission est pourrie… Je devrais renoncer !

Et renoncer à Julie ? me rappelle une petite voix qui me semble venir tout droit de mon cœur.

— Si Julie l'aime, elle comprendra, rétorque mon cerveau. Sinon, tant pis : cette mission

est juste impossible. En plus, je ne suis pas persuadé que ce soit correct.

— Lâche ! réplique mon cœur.

— Inconscient, renchérit mon cerveau.

Cette bagarre entre mes deux organes aurait pu durer longtemps si elle n'avait pas été interrompue par une alerte donnée par mon épaule droite : une main épaisse vient de la saisir.

— Vaurien, je te tiens ! Tu ne m'échapperas pas.

J'essaie de me retourner pour savoir qui me « tient », au propre comme au figuré. (M. Caron serait sans doute touché de savoir que je pense à lui et à ses leçons de français dans une situation pareille !) Mais je parviens difficilement à bouger : la poigne est forte.

Me voilà donc entraîné vers un portail, puis traversant un jardin. Mes pieds pédalent dans le vide. Nous entrons dans une maison, puis dans ce qui semble être une cuisine. La main libre de mon kidnappeur (c'est bien ça, je viens d'être kidnappé, au secours !) se saisit d'une chaise, l'autre appuie lourdement sur mon épaule.

— Assieds-toi ! meugle la voix.

Je m'exécute, la pression se relâche sur mon épaule, et mon agresseur vient se poster devant moi. Son visage ressemble au smiley pas content que l'on écrit avec le deux-points et le signe qui ouvre la parenthèse. Un de ses yeux est étrangement immobile, l'autre me mitraille. Mais ce n'est pas le plus étonnant…

Le plus surprenant, c'est que celui qui m'a trimballé pendant au moins deux cents mètres au bout d'un seul bras semble avoir au moins… 100 ans !

3 Le colonel monte la garde

— Tout juste 99 printemps, jeune homme ! Je suis né en 1917, j'ai connu deux guerres mondiales, j'ai perdu mon père pendant la première et l'œil gauche pendant la seconde. Ce qui ne m'a pas empêché de partir combattre en Indochine ! J'ai voulu repartir pendant la guerre d'Algérie, mais ils m'ont dit que j'étais trop âgé ! La guerre du Golfe, je l'ai suivie depuis ma télé. Aujourd'hui, j'ai décroché, c'est trop compliqué, leurs conflits, on ne sait plus qui se bat contre qui. Inutile donc de te préciser que c'est pas un petit gringalet de délinquant de quartier qui m'impressionne. T'es fait comme un rat !

Moi, un délinquant ? Sa dernière réflexion me fait oublier son effrayant palmarès militaire.

— Euh… un délinquant ? Pourquoi vous dites ça ?

— Parce que tu as saccagé mon parterre de roses !

— Mais… c'est pas moi !

C'est tout ce que j'arrive à articuler, et encore, entre deux sanglots : un vrai bébé ! Mais cela n'attendrit pas mon papy-justicier, persuadé de ma culpabilité. Il s'empare de son téléphone :

— La police ? Colonel Savora à l'appareil ! Je viens de coincer un jeune malfrat, ramenez-vous en urgence avant que je ne me fasse justice moi-même !

Un colonel, c'est un chef… mais un chef comment : petit, balèze, super balèze ? Celui-là entoure nerveusement le fil de son téléphone. (Eh oui, son appareil a encore un fil, je viens de m'en rendre compte ! Ma mère m'avait bien dit que ça avait existé, mais c'est la première fois que j'en vois un. Ma mère… maman ! J'ai soudainement très très envie de

l'appeler pour qu'elle vienne me chercher.) J'imagine au bout du fil un agent qui questionne, qui s'inquiète aussi, puisque j'entends le colonel lui affirmer :

— Parfaitement, je l'ai séquestré. Et je n'ai pas l'intention de le libérer, il ne partira que menottes aux poignets pour vos cellules ! *(Silence)* Un inspecteur ? Je l'attends, mais qu'il ne traîne pas !

Menottes ! Cellules ! C'est un vrai cauchemar éveillé.

— J'attends ! conclut le militaire avant de raccrocher.

Puis il prend une chaise, la retourne, s'assoit à califourchon face à moi et me fixe sans desserrer les dents. Les miennes claquent au rythme de l'aiguille des secondes de l'horloge murale. Moi qui rêvais d'être un grand détective, je vais mourir de peur dans la cuisine d'un ancien soldat qui me prend pour un voyou ! Heureusement, ce silence est interrompu par le bruit d'un moteur de voiture qui se gare, puis un coup de sonnette. L'inspecteur n'est pas venu toutes sirènes hurlantes, peut-être qu'il n'a pas réalisé qu'il s'agit d'un vrai kidnapping !

Ou qu'il ne me prend pas pour un bandit, lui ?

Faut espérer…

Dès son arrivée, je décide de lui faire confiance : cet homme sera mon sauveur ! Le colonel Savora se lance dans un récit détaillé de ses malheurs et de ses exploits : son jardin massacré la nuit dernière, la vitesse et l'agilité avec lesquelles il m'a attrapé et surtout la force physique incroyable qu'il lui a fallu pour ramener à bout de bras…

— … ce petit morveux ! Il se tortillait comme une chenille qui aurait avalé une locomotive en marche !

Cette fin de récit me semble aussi inexacte

qu'exagérée, mais mon instinct de survie me pousse à ne pas le signaler. L'inspecteur se tourne vers moi :

— Je suis l'inspecteur Servais ! Comment t'appelles-tu ?

Une première question qui peut sembler

tout à fait futile, mais que j'apprécie : le colonel n'avait pas pris la peine de demander.

— Anatole Loudun… j'arrive à chuchoter péniblement.

— Et, Anatole, c'est toi qui as saccagé les rosiers du colonel ?

— Non, monsieur…

— Alors, que faisais-tu planqué dans cette impasse, à scruter mon jardin au-dessus de mon mur d'enceinte ? Tu voulais voir ma tête quand j'allais le découvrir ! s'énerve le militaire qui semble décidé à mener aussi l'interrogatoire.

Désolé, Julie, mais là, il faut que je sauve ma peau ! Je balance tout : les doutes de mon amie, sa demande, j'insiste sur mon hésitation à accepter la mission. Je vais même jusqu'à reconnaître que j'ai fait ça un peu par amour, même si c'est idiot, je m'en rends compte maintenant !

— FOUTAISES ! hurle le colonel si fort que

l'inspecteur sursaute en même temps que moi.

— Et pourquoi ton amie a fait appel à toi pour son enquête ? m'interroge le représentant des forces de l'ordre.

Je perçois le sourire dans sa voix : il ne me croit pas. Alors, je joue mon va-tout. Sans reprendre mon souffle, sans les laisser m'interrompre, je leur raconte tout : les défis d'Arsène Lapin, l'arrivée du nouveau dans la classe, les vols dans l'école, le voyage chez les Indiens et les mystères la nuit, et le gang des farceurs. Dans le désordre, en mélangeant un peu les détails, sans trop me vanter mais en justifiant quand même ma réputation actuelle. Puis je finis en parlant de ce célèbre arrière-grand-père qui m'a donné en plus de son prénom la passion des enquêtes.

— Comme vous, je dis même à l'inspecteur, histoire de fayoter un peu.

— Foutaises ! répète le colonel Savora.

— Je ne connais aucun Anatole Loudun qui

ait été un grand détective, jeune homme ! reprend le policier, pas attendri du tout. Tu vas me donner le numéro de téléphone de tes parents, je vais les appeler, nous allons tirer tout ça au clair.

Mes parents ! Ce n'est pas la prison, mais ce n'est quand même pas une bonne nouvelle. Il faut que je me sorte de là, vite, très vite. Mais je n'arrive pas à réfléchir.

Qu'est-ce que Philo aurait dit, là, maintenant, à ma place ?

— C'était le papy de maman…

Elle n'aurait vraiment trouvé que ça ?

— Comment ? demandent en chœur les deux hommes.

— C'était le père du père de maman. Il s'appelait pas Loudun, son nom c'était Pinson.

— Rien à faire ! s'étouffe d'agacement le colonel.

— Tu es l'arrière-petit-fils d'Anatole Pinson ?! s'étrangle de surprise l'inspecteur.

Parenthèse :

L'HISTOIRE INCROYABLE DU FABULEUX COMMISSAIRE ANATOLE PINSON

Un récit de l'inspecteur Servais

C'était au début des années 50. À cette époque, sévissait dans le seizième arrondissement de Paris une redoutable bande de cambrioleurs.

Après deux ans – oui, deux ans ! – de surveillance, la police n'avait aucune piste. Elle ignorait comment ces voleurs repéraient les hôtels particuliers à cambrioler, comment ils y pénétraient et en ressortaient.

Et c'est là qu'Anatole Pinson a montré tout son génie. Il a remarqué quelques infimes taches de cendres autour d'une cheminée d'une maison visitée. Il a été le premier à penser à mettre sous discrète surveillance tous les ramoneurs de

Paris. À l'époque, si le chauffage central existait déjà, beaucoup de Parisiens utilisaient encore les cheminées, qu'ils faisaient entretenir. Et effectivement, Anatole Pinson a découvert que les cheminées des maisons cambriolées avaient toujours eu droit à un ramonage le jour même.

Seulement, des ramonages, il y en avait plusieurs centaines par jour. Les policiers ont filé ces hommes au visage noir de suie pendant un mois, jour et nuit : pas un ne ressortait à la nuit tombée ni ne semblait retrouver un complice pour lui communiquer des informations.

En lisant tous les rapports de tous les policiers qui filaient tous les jours tous les ramoneurs (et ça en faisait, des pages !), Anatole Pinson a noté un détail étonnant. Quelques inspecteurs avaient noté, avec dégoût !, que certains ramoneurs se soulageaient sur le mur de la maison dont ils venaient de ramoner la cheminée.

Ils faisaient pipi dessus, quoi !

Anatole Pinson a d'abord remarqué que ce n'était pas les mêmes à chaque fois. (Pour ça, il a dû demander à tous les policiers qui suivaient les ramoneurs de noter ce détail, car tous ne jugeaient pas nécessaire de le faire.) Puis, qu'en fait, quand ça arrivait, il y avait un seul ramoneur. Et surtout... eurêka ! que c'était la maison arrosée qui était cambriolée la nuit suivante !

Il ne restait plus qu'à surveiller tous les ramoneurs et leurs envies...

Beaucoup de monde mobilisé, mais la technique a payé !

Au bout de quatre jours, un petit gars a été remarqué : il urinait en sifflotant sur le mur d'un hôtel particulier de la rue de la Pompe. La nuit suivante, le cambrioleur, qui s'introduisait par une échelle de corde dans la cheminée, a été pris la main dans le sac. Cet homme avait un flair incroyable, il lui suffisait de passer dans la rue pour « sentir » la maison à visiter.

Les journaux ont titré dès le lendemain : « Le gang des pisse-partout démantelé ! »

Anatole Pinson a reçu la Légion d'honneur.

Plus un seul cheminot, plombier, électricien n'a osé uriner dans la rue.

Anatole Pinson avait nettoyé à double titre la ville de Paris.

4 Soldat Anatole, au rapport !

Moi, j'aimerais bien que l'inspecteur continue à me parler de mon arrière-grand-père. Son récit m'a empli à la fois de fierté et de trac. Mon aïeul était vraiment un as. Si je veux me montrer digne de lui, il va falloir que je passe à des enquêtes de plus grande envergure.

Le colonel, lui, s'empresse de nous ramener au temps présent :

— L'ancêtre de ce gamin était peut-être un héros, mais c'est lui et bien lui que j'ai vu traîner dans notre rue, comme par hasard quand il y a eu un sabotage de mon jardin.

— Cet enfant n'a pas une tête de coupable, lui rétorque l'inspecteur. Voilà ce que je propose pour vous en convaincre : Anatole, je te laisse une semaine pour trouver le coupable. Si tu y parviens, je me rendrai effectivement chez tes parents, mais pas pour t'accuser, pour les féliciter d'avoir un fiston digne de son ancêtre. Ton destin est entre tes mains.

Bon, il n'en fait pas un peu trop, là, l'inspecteur, en me parlant de destin ? Mais difficile de refuser si je veux sortir d'ici. En plus, c'est tentant… Sans que nous ayons le temps de protester, le policier file… comme un voleur ! L'ancien militaire m'examine de la tête au pied, comme s'il passait en revue ses troupes, et lâche :

— Soldat ! Une grande mission nous

incombe. À nous de nous en montrer dignes. Mais avant de nous jeter dans la bataille, veux-tu un verre de jus d'orange ?

Je ne vais pas affirmer que je suis tout à fait à l'aise. Mais j'ai quand même moins peur de lui. Tandis qu'il se saisit d'une orange, d'un couteau de commando et – schlak ! – tranche le fruit puis le presse d'une seule main sans l'aide du moindre appareil, il commence à me raconter.

Le colonel Savora, s'il aime la guerre, aime aussi les fleurs. Il en cultive de plusieurs sortes, et avoue sans rougir sa préférence pour les rosiers.

— C'est ma tendre épouse qui les avait plantés, paix à son âme, me confie-t-il d'une voix toute douce, avant de s'énerver : un criminel les a complètement arrachés et découpés en morceau la nuit dernière !

Je sais bien que ce n'est pas moi, et je crois que le colonel Savora le sait aussi, mais sa colère

me pousse instinctivement à reculer d'un pas. Très vite cependant, je me ressaisis. Je suis quand même Anatole Bristol !

— Y avait-il des empreintes de pas dans la terre autour ? je questionne.

— Oui, viens, je te les montre.

Je suis soulagé de retrouver le grand air, mais me concentre vite sur le lieu du crime. Les traces semblent provenir de chaussures fines, modèle plutôt féminin je crois, je ne suis pas expert ! Je lui fais remarquer que ce point me disculpe, et il le reconnaît. Je ne m'attarde pas sur cette première victoire et poursuis mon interrogatoire.

— Qui sait dans le quartier que vous avez de beaux rosiers et que vous y tenez ?

La fierté gonfle le poitrail du vieil homme comme un ballon de baudruche.

— Tout le monde, soldat ! Tous les ans, je participe au concours de la plus belle rose, et tous les ans, je gagne !

Ce succès semble le ravir, mais il me complique la tâche : ça en fait, des suspects… Un chien jappe autour de nous. Avec une grosse voix.

— C'est Patton, m'explique le colonel quand je partage avec lui ma réflexion. Mon chien de garde.

— Et il n'a pas aboyé la nuit dernière ?

— Non, et je ne me l'explique pas ! Il est toujours aux aguets normalement. Mais il ne relâchera pas sa vigilance : je lui ai fait faire deux cents pompes pour s'être endormi au mauvais moment !

Un chien dressé à faire des pompes ! Je ne suis décidément pas au bout de mes surprises. Un coup d'œil rapide à ma montre m'informe qu'il est déjà dix heures. Ça fait officiellement deux heures que je cours ! Il faut que je rentre vite chez moi si je ne veux pas que ma mère m'inscrive au prochain marathon de Paris. Le vieux monsieur me laisse partir sans problème. Je crois qu'il a compris que j'étais vraiment intéressé par cette enquête, car il me confie sur le pas de sa porte :

— À demain matin, soldat, même heure, pour notre deuxième jour de mission.

5 Tueur de fourrures !

Quand j'arrive le lendemain, j'ai avec moi une nouvelle fiche bristol. J'y ai résumé les informations que j'ai déjà. En les notant hier soir, j'ai eu une intuition : le saccage a été commis une nuit d'hiver. La coupable (si c'est bien une femme comme le suggèrent les empreintes) a dû escalader le muret d'enceinte pour entrer, et savait sans doute qu'elle risquait de détaler en courant à cause d'un chien. Le tout dans un froid glacial. C'est quand même bizarre qu'elle ait choisi ce genre de chaussures, et pas des bottes ou des baskets. À moins qu'elle n'ait pas prémédité son acte, et ait décidé de passer à l'action en rentrant d'une soirée habillée… En plus, les traces semblent bien enfoncées alors que la terre est gelée.

Je suis impatient de faire part de mes premières réflexions au colonel Savora. Je le retrouve dans la rue, en pleine discussion avec une dame très élégante. Détail d'importance : le dos de son manteau de fourrure est couvert de peinture turquoise.

— C'est une honte ! Mon beau vison saccagé !

Le colonel Savora réussit entre deux hurlements à me présenter Mme Nouam, qui habite le pavillon voisin. Apparemment, elle a été victime d'une attaque à la peinture.

— C'est vous, vieux ronchon, qui avez fait ça ? Tueur de fourrures !

Tueur de fourrures... Voilà une notion bien étrange. Mais je garde pour moi ma remarque, ce n'est pas le moment de lui dire ce que je pense des gens qui portent des animaux morts sur le dos. Le colonel Savora semble tout aussi décontenancé. Du doigt, il me désigne les chaussures de la femme et je comprends pourquoi il l'a abordée ce matin : il venait porter des accusations. Seulement, il se retrouve sur le banc des accusés ! Je décide donc de parler pour lui.

— Madame, je m'appelle Anatole (être poli avec les dames, c'est très important... surtout pour obtenir ce que l'on veut !) et si le colonel Savora s'est permis de vous importuner, c'est parce qu'il s'est passé chez lui aussi des faits étranges.

Et sans lui laisser le temps de me répondre (la politesse s'arrête là !), je raconte le massacre

des fleurs. La dame semble vraiment étonnée : si c'est elle la coupable, elle feint très bien l'étonnement. Une fois mon récit terminé, je me tais, et j'attends que ça fasse tilt, mais pas trop fort non plus, dans sa tête…

— Si je comprends bien, jeune… Anatole !, vous me soupçonnez tous les deux d'avoir piétiné des rosiers ! hurle Mme Nouam. Et c'est pour cela que vous avez installé ce pot de peinture au-dessus de mon perron. C'est un attentat !

Ça a fait tilt… très fort ! Je viens à la rescousse de mon collègue d'enquête :

— Madame, le colonel Savora n'avait aucune raison de s'en prendre à vous.

— Alors pourquoi était-il justement là, à me regarder à travers la grille de mon portail, quand mon vison a été assassiné ? Il voulait se venger de mes soirées mondaines qu'il trouve peut-être bruyantes !

— Pas du tout ! (Là, c'en est trop : le colonel Savora explose :) Je venais au contraire vous demander de me présenter sur-le-champ toutes vos paires de chaussures pour savoir laquelle vous portiez quand vous avez massacré mon rosier.

L'ancien militaire a parlé si vite et si fort que même la voisine est restée figée sur place. Je profite de ce moment de silence, qui ne durera pas, je n'ai aucune illusion là-dessus, pour intervenir :

— Il se passe apparemment des choses très

étranges dans votre rue depuis quelques jours. Et nous sommes là pour percer le mystère.

J'ai parlé comme un vrai détective de film, d'un ton à la fois ferme, calme et décidé. Mais ça n'a pas suffi à calmer les esprits.

— Le mystère est simple ! Elle il a massacré saccagé mes mon fleurs manteau ! hurlent-ils à l'unisson.

Et je réalise pourquoi M. Caron ne veut pas que nous parlions tous en même temps en classe.

— Ça suffit ! je crie à mon tour.

Exactement comme mon maître l'aurait fait, et effectivement, ça marche : ils se taisent. J'en profite :

— Madame, avez-vous saccagé le rosier du colonel Savora ?

— Non, bien sûr que non !

— Colonel Savora, avez-vous accroché un pot de peinture au-dessus de la porte de votre voisine ?

— Moi ? Un poseur de pot de peinture ? Ce serait un comble !

— D'accord. Moi, je veux bien vous croire tous les deux, et je vous demande juste de me faire confiance, et d'arrêter de vous insulter. Je vais m'efforcer de prouver votre innocence tout en dénichant le coupable. Mais pour cela, il va falloir accepter de m'aider sans protester à chacune de mes requêtes. C'est compris ?

— Compris... marmonnent-ils tous les deux.

Cependant, je note bien qu'ils se mitraillent toujours du regard.

6 Philo ne se croise pas les bras !

Certes, ce matin, j'ai réussi à repousser une guerre de voisins. Seulement maintenant, il faut que mon enquête avance. Cet après-midi, j'ai créé une nouvelle fiche bristol sur l'attaque à la peinture et, allongé sur mon lit, je l'ai relue plusieurs fois, placée à côté de celle du colonel Savora, exactement comme leurs maisons. Rien à faire : je sèche. Peut-être que finalement, la vérité est celle que je refuse d'accepter : ils sont tous les deux à la fois victimes et coupables.

— Anatole ! Téléphone !

Ma petite sœur me sort de ma réflexion.

— C'est ton amoureuse ! tient-elle à préciser suffisamment fort pour que mon amoureuse, justement, l'entende bien…

Mais Julie décide de ne pas ajouter à ma honte :

— Allô Anatole, je voulais savoir où tu en étais de ton enquête…

Comment est-elle au courant ? Oh mon Dieu, avant que je ne lui pose la question (et heureusement !), je réalise que nous ne pensons pas à la même chose : elle veut savoir ce que j'ai découvert à propos de son papa.

— Euh… C'est que… C'est pas… Enfin… C'est…

— Ça te dirait de venir passer la journée avec nous demain ? Papa justement nous emmène visiter le zoo de Vincennes. Tu pourras l'observer de près. Ça t'aiderait, non ?

— Oh oui ! Bien sûr !

Une journée au zoo avec Julie, voilà un programme qui ne se refuse pas ! Même quand on a un emploi du temps bien chargé. Il me suffira de passer chez le colonel Savora pour lui annoncer que je prends un jour de repos… même si ce n'est pas comme ça que mon enquête va avancer. Ah, si je pouvais demander de l'aide à Philo ! Elle m'indiquerait certainement la piste à creuser. Seulement, mon assistante a préféré les pistes de ski…

Bon, OK, je ne suis pas très juste : quand Philo est partie, il n'y avait aucun mystère en cours. Sinon, je suis certain qu'elle trouverait le moyen de m'appeler deux fois par jour.

— Anatole ! Téléphone !

Encore ? C'est Julie, elle veut annuler, elle a compris que je ne m'en sors pas…

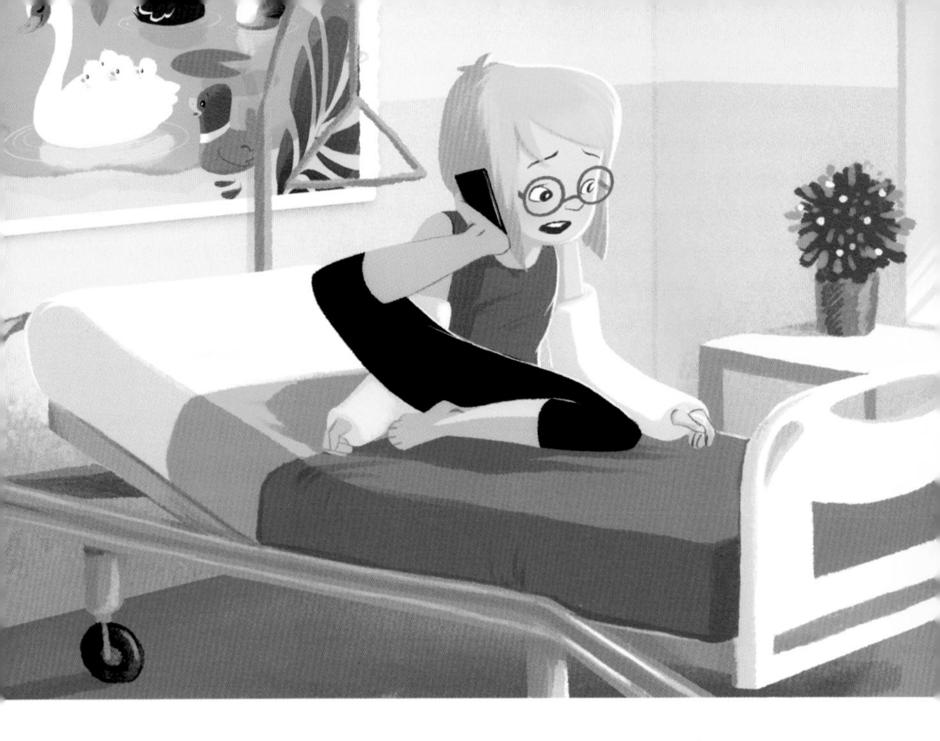

— C'est Philo, annonce, très déçue, ma petite sœur.

Maya sait très bien que Philo et moi ne sommes pas amoureux.

— Philo, je suis content de t'entendre ! Comment ça va ? Parce que moi, tu vois, il m'arrive un…

— Ça va pas terrible, m'interrompt mon amie.

Oups, je réalise que j'ai posé la question sans attendre de réponse. Cette fois, j'écoute bien ce que Philo a à me raconter.

— Je suis coincée dans la chambre de l'hôpital, avec les deux bras dans le plâtre.

— Comment tu fais pour me téléphoner ?

Bon, d'accord, je suis très terre-à-terre. Mais Philo me connaît, elle sait que j'ai besoin de comprendre les choses.

— Papa m'a laissé son téléphone portable, j'ai mis le haut-parleur. J'ai dû taper ton numéro avec les orteils.

— Qu'est-ce qui t'est arrivé ?

— Je suis tombée du télésiège… avoue-t-elle, un peu honteuse.

— Comment peut-on tomber d'un télésiège ? je m'étonne, très sincèrement. Je croyais que c'était sécurisé !

Je ne suis pas souvent allé au ski, cela ne me donne pas envie d'y retourner ! Je perçois une certaine gêne au bout du fil.

— Disons que… je ne suis pas vraiment tombée. *(Silence)* J'ai sauté.

— TU AS SAUTÉ !!!

— Oui, que veux-tu ! Il y avait en dessous de nous un groupe de skieurs qui s'étaient arrêtés pour fumer et manger, et ils ont jeté leurs mégots et leurs papiers sur la piste, comme ça ! Ça m'a énervée…

J'imagine leurs têtes quand une justicière leur est tombée du ciel ! Mais je me retiens de rire et je profite de son immobilité forcée pour confier à mon amie que j'ai besoin d'elle et de ses bonnes idées. Ça devrait lui remonter le moral ! Bon, forcément, Philo me sermonne quand elle apprend la mission que j'ai acceptée pour Julie… Elle ne me demande pas ce qui m'a pris de dire oui, et je réalise que mon amie a pigé depuis longtemps que j'en pinçais pour notre camarade de classe.

— Anatole, cette affaire me paraît simple :

ces voisins sont en train de régler leurs comptes ! Les traces de chaussures, c'est une preuve, non ? Et ton colonel, il n'a pas des volets de la couleur de la peinture qui s'est retrouvée sur le manteau ? Tu sais, les voisins, ça se dispute beaucoup. Les nôtres par exemple, quand je leur ai fait remarquer qu'ils triaient mal leurs déchets, eh bien…

Je n'écoute plus mon amie. Je viens d'avoir une intuition. Toute cette affaire est trop grosse pour que ce soit aussi simple. J'ai aussi une révélation : je sais où j'ai déjà vu cette peinture !

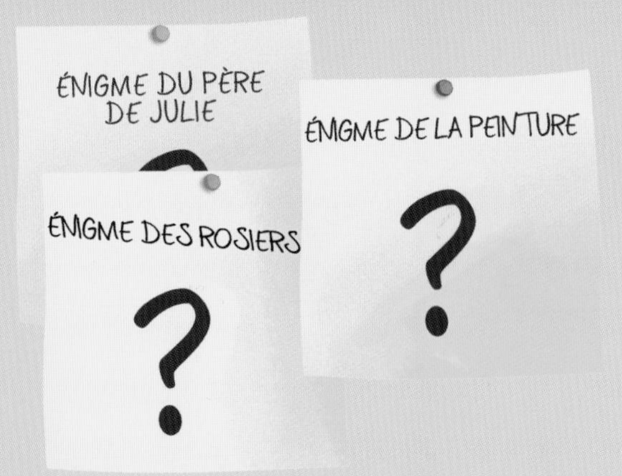

7 Voiture piégée !

Je ne m'étais pas trompé : cette couleur, c'est celle des volets de la maison de Julie. Mais alors, ça voudrait dire que… Je n'ai pas le temps de mener plus loin ma réflexion, Julie vient à ma rencontre dans son jardin en courant.

— Anatole, c'est affreux ! La voiture de mon père a été vandalisée.

En effet, dans l'allée, je remarque que la

grosse automobile a triste allure. Ses quatre roues sont crevées et ses deux rétroviseurs cassés.

— C'est pas possible, c'est un vrai commando qui s'y est attaqué ! se lamente M. Torrès. Il fallait un vrai couteau de combat pour crever les pneus comme ça.

Un commando, c'est sans doute exagéré… mais un ancien militaire seul, ça, c'est certain. Le colonel Savora a un couteau de l'armée, je l'ai vu l'autre jour ! Pourquoi s'en serait-il pris à cette voiture ? A-t-il finalement soupçonné la famille de Julie d'avoir saccagé ses rosiers ? Il se serait fait justice tout seul ? Tout ça n'a aucun sens.

— C'est ce vieux chnoque, l'ancien militaire qui habite à l'angle ! s'énerve le papa de Julie (qui apparemment a lu dans mes pensées… mais pas jusqu'au bout). Il n'y a que lui qui peut utiliser du matériel… et des méthodes pareils ! S'il veut repartir au combat, il va être servi, tiens !

Julie et moi n'avons pas le temps d'intervenir, son père est déjà devant la maison du colonel Savora, le doigt écrasé sur la sonnette. Le militaire ne tarde pas à sortir. Oh mon Dieu, il est en treillis ! La voisine, toujours aussi élégante, est elle aussi sur le trottoir. Elle regarde les deux hommes, jette un œil vers Julie et moi, aperçoit les volets… Elle aussi fait le rapprochement.

Cette fois, c'est la guerre ! Julie se met à pleurer, je suis bien tenté de la serrer dans mes bras pour la consoler, mais mon esprit de détective prend le dessus sur mon cœur. Je me précipite vers le groupe, prends une grande inspiration et hurle :

— STOP !!!!!!

Ça ne marche pas ! Alors je me plante au milieu du trio, en plein champ de bataille. Je tourne sur moi-même pour m'adresser aux trois en même temps :

— Colonel Savora, tout laisse à croire que c'est Mme Nouam qui a saccagé vos fleurs. Madame Nouam, tout montre que c'est la famille Torrès qui a repeint votre manteau, M. Torrès, quand on regarde votre voiture, tout désigne le colonel Savora comme coupable.

— En effet, commentent-ils en chœur.

— Alors, soit vous êtes tous les trois non seulement des délinquants, mais en plus des idiots qui laissent des indices énormes, soit quelqu'un a intérêt à ce que vous vous disputiez…

C'était ça, mon intuition d'hier ! Sauf qu'elle n'incluait pas encore le père de Julie. Je suis certain d'être sur la bonne piste, mais cela ne me réjouit qu'à moitié : ça ne va pas être facile de trouver le vrai coupable. Il est apparemment aussi malin que motivé. Mes arguments font mouche : les trois accusés/accusateurs se jettent encore des regards suspicieux en coin, mais ils ne se battent plus.

— Si on prend les transports en commun, on peut encore aller au zoo, hasarde M. Torrès.

— Si vous voulez, je vous dépose à la gare pour que vous preniez le RER, propose le colonel.

— Saluez les léopards de ma part, conclut Mme Nouam. J'adore leur joli pelage !

La visite du zoo de Vincennes m'offre un réel moment de détente. Il était temps, les vacances

ont commencé depuis une semaine déjà ! J'ai peur que Julie ne me demande un point sur l'enquête que je dois mener pour elle, mais elle est surtout très intéressée par cette querelle de voisins. Il faut dire que son père passe son temps sur son téléphone à appeler son assurance, son garagiste, etc.

Je regrette de ne pas avoir emmené de fiche bristol avec moi, j'aurais pu commencer la liste de mes nouveaux suspects. J'essaie de la dresser dans ma tête en partant du raisonnement suivant : si nous avons affaire à un coupable unique (ce qui est à mon avis le cas, vu qu'un nouveau délit a lieu chaque jour dans cette impasse), c'est une personne :

1. qui veut nuire à ses voisins. Elle saccage ce qui est précieux pour eux : les rosiers du colonel Savora, le manteau de fourrure de Mme Nouam, la belle voiture de M. Torrès.

2. qui s'arrange pour qu'ils s'accusent les uns les autres. Ce qui signifie que cette personne a intérêt à ce que les gens qui habitent cette rue se disputent.

— C'est une théorie très intéressante, me confirme Julie quand je la partage avec elle devant des lions somnolents. Mais qui peut vouloir que nos voisins se disputent ? On vit dans une rue sans issue, super calme. Il ne se passe jamais rien !

— Réfléchis, je lui réponds. Il n'y a pas eu un truc bizarre ces dernières semaines ?

Aucun souvenir particulier ne revient à Julie, et nous finissons notre visite en oubliant un peu le mystère de sa rue. Je tente bien de m'approcher de son papa pour discuter avec lui. Mais il est encore pendu à son téléphone. Ce n'est quand même pas son… autre femme ? Non, parce que j'entends qu'il la vouvoie. Et qu'il semble très préoccupé.

C'est finalement de retour chez lui que je vais avoir l'occasion de discuter avec M. Torrès. À la vue de sa voiture dans l'allée, il se reprend un coup de couteau invisible dans le cœur. Je le vois, et ça me peine. Alors je m'approche :

— M. Torrès, je vous promets, je vais trouver qui a fait ça.

Il m'adresse un triste sourire, et pose sa main sur mon épaule :

— Julie m'a expliqué que tu voulais devenir détective.

Aïe ! A-t-il découvert que j'enquêtais sur

lui ? Je bafouille un timide oui.

— Tu vois, Anatole, je trouve que tu as beaucoup de chance. Tu sais déjà que tu vas exercer un métier qui te passionne. J'aurais aimé avoir cette chance, mais ça n'a pas été le cas, et pour ce prix-là…

Je sens bien que M. Torrès est sur le point de me faire une révélation importante, mais il se referme aussi subitement qu'il s'est ouvert. Alors, sans vraiment pouvoir expliquer pourquoi, je lui déclare :

— J'aime bien chercher la vérité. Pas pour nuire aux gens, mais parce que quand elle est connue, c'est souvent mieux.

Il me jette un regard à la fois étonné et amical. (Je le sais parce que ses sourcils se froncent, mais il sourit faiblement.)

— Eh bien, Anatole, trouve la vérité sur ce qui se passe dans cette rue. Nous t'en serons tous reconnaissants.

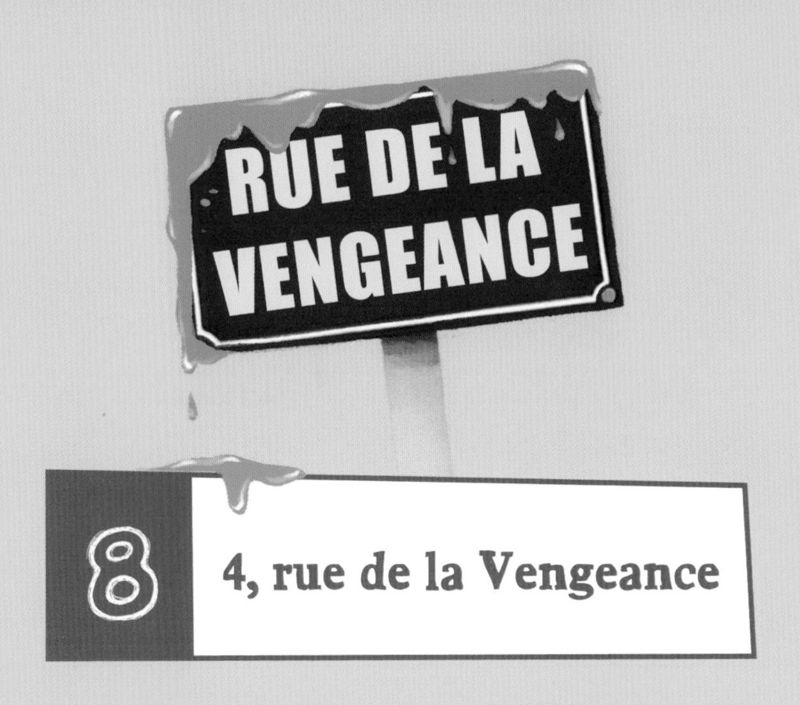

8 4, rue de la Vengeance

Ce matin, je reste blotti au fond de mon lit. J'ai bien mérité une vraie journée de repos, non ? Et puis franchement, je ne vois pas ce que ma présence dans l'impasse des Mystères changerait. Je sèche ! Je sais formellement qui est innocent malgré les apparences, mais je n'ai pas la moindre idée de qui est coupable. Je tente de me rendormir en vain, me lève finalement, me plante devant la télé avec mon bol de céréales. Un vrai bon plan de jour de vacances, quoi ! Mais je n'apprécie pas, car mon cerveau refuse de se reposer. Une seule solution, appeler Philo.

Mon amie tombe vite d'accord avec moi : ma théorie tient parfaitement la route. Elle se met très vite à penser à voix haute :

— Pourquoi mettre une mauvaise ambiance dans cette rue ? Quelqu'un a-t-il intérêt à ce que tous ces gens soient si mal chez eux qu'ils aient par exemple… envie de déménager ? Il y a peut-être un promoteur qui veut construire un centre commercial avec parking dans cette rue.

Sur le coup, ça me paraît stupide : faire des choses illégales comme ça juste pour acheter des maisons, c'est étrange. Puis, après coup, je me dis : « Pourquoi pas ? »

— Seulement, je suis certain que le colonel Savora, par exemple, ne déménagera pas, je rétorque quand même. Et imaginons que ton idée soit juste : quand deux d'entre eux seront partis (oh non, pas Julie loin de notre école ! je pense sans le dire), le troisième n'aura aucune raison d'en faire autant.

— C'est tout à fait juste, me répond Philo. Ah, Anatole, c'est horrible, je ne peux pas remonter mes lunettes sur mon nez avec mes deux bras plâtrés !

Une petite envie de remonter ses lunettes : mon amie est vraiment en pleine réflexion.

— J'opterais plus pour une vengeance, reprend Philo. Tu as raison quand tu soulignes qu'à chaque fois, le coupable s'en est pris à quelque chose de très précieux pour la victime. Ça ne peut pas être par hasard.

Je poursuis sa réflexion :

— Donc, tous les trois auraient cassé quelque chose… oui, mais à qui ?

— Sans doute à quelqu'un du quartier, qui les connaît et connaît leurs passions, me précise

Philo. Qu'ont-ils bien pu faire ensemble ?

Ça, c'est à moi de le découvrir ! Je raccroche en promettant à Philo de la tenir au courant, me douche rapidement et pars chez le colonel.

Le militaire écoute avec intérêt mon compte rendu.

— Félicitations, soldat ! Continue ainsi et

tu monteras vite en grade. Permets-moi juste de te préciser un point : je connaissais à peine Mme Nouam avant cette histoire, à cause de ses soirées bruyantes, et pas du tout M. Torrès. Je t'assure que nous n'avons jamais rien manigancé ensemble, et que personne ne peut nous avoir imaginés magouillant tous les trois.

Un voile de tristesse traverse soudain le visage du colonel, qui affiche tout d'un coup ses 99 ans.

— Je ne parle plus à personne depuis… depuis le décès de mon épouse, il y a dix ans.

Waouh, dix ans sans parler à ses voisins… C'est aussi long que ma vie ! Mais je sens que mon nouvel ami n'a pas envie que je commente. Je poursuis donc :

— Peut-être que le coupable vous soupçonne tous les trois d'avoir fait quelque chose, et comme il ne sait pas qui est vraiment responsable, il se venge des trois.

— C'est une hypothèse intéressante ! s'enthousiasme le militaire qui rajeunit soudainement. Reste à trouver ce que l'on nous reproche.

Je me rends chez Mme Nouam, puis chez Julie, pour découvrir ce qui a pu déclencher la colère d'un voisin : un carreau cassé ? une voiture rayée ? un vol de poubelles ?

— C'est étrange que tu parles de carreaux cassés, commente la maman de Julie qui a suivi notre conversation, parce que nos voisins d'en face ont reçu des cailloux dans les vitres de leur nouvelle véranda la nuit dernière. Heureusement, les carreaux ne se sont pas brisés, mais ils ont eu peur.

Cette fois, j'en suis convaincu : quelqu'un se venge de cette rue ! Il faudra que j'aille questionner ces nouvelles victimes aussi. (L'inspecteur Servais n'avait sans doute pas imaginé en me confiant cette enquête qu'elle serait si riche en rebondissements !) Pour l'instant, j'insiste auprès de Julie :

— Il faut absolument que tu me racontes tout ce qui s'est passé d'un peu anormal ces derniers temps. Est-ce que quelqu'un n'a pas reçu un colis ? Ou perdu son chien ?

— Maintenant que tu en parles ! Le chat de la maison au fond de l'impasse a été écrasé. C'est le fils qui l'a retrouvé un matin en partant au collège. Il a sonné chez nous pour savoir si nous avions vu ou entendu quelque chose, mais je crois que ma mère a répondu non.

— Allons donc sonner chez lui à notre tour avant d'aller voir la vitre abîmée !

Il est presque midi quand nous nous présentons devant le pavillon, c'est pourtant un adolescent en pyjama, les cheveux hirsutes, qui nous ouvre.

— Vous v'lez quoi ?

Dire qu'un jour aussi je serai ado…

— Te parler de ton chat.

Ce n'est pas tout à fait la vérité, mais il m'a semblé que c'était le meilleur moyen d'entrer. Et en effet, ça marche !

— Vous avez trouvé l'ordure qui l'a écrasé et s'est barré comme une mauviette !?

Oh là ! Il est tout à coup très réveillé. C'est très très gêné que je bafouille un timide non.

— M'en fous, balance alors le garçon. De toute façon, ils paieront tous !

— Pourquoi tu dis ça ? réagit très vite Julie.

Mon amie partage sans doute mon intuition : nous sommes en face de notre coupable. Maintenant, il va falloir jouer finement pour obtenir des aveux.

— Se sauver comme ça après avoir écrasé un animal, c'est horrible, je commente. Même si c'était forcément un accident, il ne fallait pas fuir.

Le garçon me toise.

— Bah, celui qui a fait ça doit quand même

le regretter… lance-t-il sur un ton neutre.

— Oui, parce qu'il n'a plus de rosiers, de manteau de fourrure ou de voiture ? je questionne, avant de préciser : La véranda, elle, a résisté.

Mon interlocuteur fronce les sourcils, puis sourit méchamment :

— Tu n'as aucune preuve.

— Je n'en ai pas besoin, je suis un détective

qui ne balance pas.

Là, surprise ! Ce grand ado craque : il nous raconte tout d'une voix chevrotante. Son chat Tarzan écrasé, son petit corps abîmé, l'indifférence des voisins quand il a posé des questions.

— Comment sais-tu que c'est quelqu'un de la rue ? demande Julie.

— Parce que c'est une impasse ! Seuls ceux qui habitent ici y entrent en voiture.

— Ou les gens qui leur rendent visite ! je rectifie, pour lui montrer mes talents d'enquêteur.

— Même pas, rétorque-t-il, pas impressionné. La rue est trop étroite pour qu'on s'y gare. Les proprios rentrent leurs caisses dans leurs jardins, les autres stationnent dans la grande rue à côté.

Un coup d'œil rapide me confirme ses dires. Son argument tient la route !

9 Promesses tenues ?

L'ado qui a perdu son chat s'appelle Benjamin, mais nous a dit qu'on pouvait l'appeler Benji. Oui, nous sommes potes ! Nous avons passé un accord :

1. IL ARRÊTE SA VENGEANCE.

2. JE COMMENCE À ENQUÊTER SUR LA MORT DE SON CHAT, À LA CONDITION EXPRÈS QU'IL NE SE VENGE PAS QUAND JE LUI DONNERAI LE NOM DU COUPABLE.

Il a d'abord tiqué, puis il a accepté. Il nous a raconté comment il avait organisé ses virées nocturnes. Franchement, c'était impressionnant.

— Comment t'es-tu arrangé pour que Patton, le chien du colonel Savora, n'aboie pas ? je lui ai demandé, très intrigué.

— Oh, c'était très simple, il me connaît très bien, je le caresse chaque fois que je passe devant chez lui. C'est un chien adorable, il ne ferait pas de mal à une mouche.

Encore une révélation que je cacherai au militaire ! Forcément, ça m'a dérangé de ne pas dénoncer Benji. Ce qu'il a fait est grave, c'est puni par la loi. C'est la première fois que je me retrouve face à un tel coupable. En plus, l'inspecteur Servais a été déçu quand je lui ai dit que je n'avais pas de nom à lui donner, même si je pouvais lui assurer qu'il n'y aurait plus de problèmes dans la rue. Mais, comme je l'ai expliqué à Philo au téléphone, quand je serai un vrai

enquêteur professionnel, je serai obligé de dénoncer. Autant que j'en profite pour l'instant pour me taire !

Reste ma deuxième enquête… plus personnelle. Certes, je n'ai pas encore de réponse à donner à Julie sur son papa. Mais je suis décidé à lui dire que je ne peux pas mener ce genre de recherches. Ce ne sont pas mes affaires. J'ai le ventre noué en sonnant chez elle cet après-midi. (Ce matin, j'ai enfin fait la grasse matinée !)

— Entre, Anatole !

Mon amie m'accueille avec un grand sourire aux lèvres. Dire que je vais l'effacer…

— Julie, faut que je te parle…

— Moi d'abord ! trépigne mon amie. Je ne sais pas ce que tu as raconté à mon père sur la vérité qu'il ne faut pas cacher et tout ça, mais hier, il nous a convoqués dans le salon, mes frères et moi, pour nous annoncer que…

Il va divorcer ? Pauvre Julie !

— Il est au chômage. Ça fait deux mois, et il ne voulait pas nous le dire pour ne pas nous inquiéter. Seule ma mère était au courant. Il faisait semblant de partir le matin et revenait dès que nous étions à l'école, d'où le changement de chemises ! Mais avec les vacances, c'est devenu compliqué. Il nous a répété la phrase que tu as prononcée sur la vérité et qui a fini de le convaincre. C'est super, non ?

Le chômage, c'est inquiétant aussi. Est-ce mieux qu'un divorce ? STOP ! Je ne veux plus me poser ce genre de questions et me mêler des affaires des grands.

En sortant de chez Julie, je croise Benji. Mon nouvel ami passe à côté de moi sans m'adresser la parole.

— Ben… Benji, qu'est-ce qui se passe ?

— À ton avis, me répond-il sur un ton hargneux. C'est pas toi peut-être qui as envoyé la police chez moi ? Une dénonciation anonyme, qu'ils ont dit. Tu parles ! Je me demande juste comment tu t'es débrouillé pour poster une carte de Haute-Savoie. Entre nous, t'avais sacrément la tremblote en écrivant, le policier qui est venu chez moi m'a montré ton œuvre.

Philo ! C'est Philo qui l'a dénoncé ! Pourquoi a-t-elle fait ça ? Je lui avais demandé de ne rien répéter ! En fait non, je ne lui avais rien précisé, mais ça coulait de source, puisqu'elle savait que je ne le dénoncerais pas. Elle avait insisté pour que je le fasse, et j'avais refusé.

— Alors, moucheron, à quoi tu penses ? T'as peur que je vienne rayer la bagnole de ton père ou casser les carreaux de ta chambre ? T'inquiète, je ne le ferai pas, tu n'en vaux pas le coup.

Non, je ne vais pas balancer Philo. Je ne suis pas un cafteur. Mais Benji, enfin Benjamin, doit savoir.

— Écoute, j'ose enfin lui répondre. Je vais te dire un truc, après, tu me croiras ou pas.

Mais rappelle-toi que c'est moi qui ai découvert que tu étais derrière tout ça. Je sais qui t'a dénoncé. Ce n'est pas moi, je te le jure, ce n'est pas non plus Julie. Mais je te jure aussi que je ne te donnerai pas de nom, d'abord parce que tu ne connais pas cette personne, et surtout parce que je suis un enquêteur qui ne balance pas.

L'adolescent m'examine de la tête au pied.

— T'es un drôle de gars, p'tit Anatole. Vraiment. Mais je crois que je t'aime bien quand même.

ÉNIGME DU PÈRE DE JULIE
ANATOLE
ÉNIGME DES ROSIERS
ANATOLE
APPROUVÉ
BRISTOL
ÉNIGME DE LA PEINTURE
ANATOLE
APPROUVÉ
BRISTOL
ÉNIGME DE LA VOITURE
ANATOLE
APPROUVÉ
BRISTOL

Épilogue

Moi, Anatole Bristol, détective d'école, j'ai franchi une sacrée étape avec cette enquête : j'ai rencontré un vrai policier (qui connaissait de réputation mon aïeul !), j'ai enquêté dans la rue avec des adultes et pas juste des enfants, j'ai surtout caché des informations à la justice…

Le colonel Savora, Mme Nouam et M. Torrès ont finalement décidé de ne pas porter plainte contre Benjamin. Ça veut dire qu'ils ont décidé de ne pas aller à la police. Cependant, à cause de la carte de Philo, Benji va être jugé quand même. J'ai été rassuré d'apprendre qu'il ne peut pas aller en prison. L'inspecteur Servais m'a dit que Benji sera condamné à des travaux d'intérêt général. Par exemple… balayer leur rue ! Il m'a aussi dit que je pouvais passer le saluer quand je voulais au commissariat !

Moi, Anatole tout court, je suis toujours un peu fâché contre Philo. Pourquoi a-t-elle fait ça ? Oh, je sais pourquoi en réalité : si moi je suis un enquêteur, elle, c'est une justicière. Quand je l'ai vue, la pauvre !, avec ses deux bras dans le plâtre, j'ai quand même décidé de ne pas lui en vouloir longtemps !

J'espère que le papa de Julie va vite retrouver du travail. Mon amie ne semble pas inquiète du tout. Elle raconte partout ma dernière enquête. Elle ne parle pas de ce qui m'a amené dans sa rue, mais elle ajoute à chaque fois que j'ai fait tout ça par amour pour elle… Je ne sais pas comment elle l'a deviné, mais maintenant, toute la classe est au courant…

Au secours !

Table des matières

Collectionne les romans **Pas de géant** !

Les enquêtes
d'Anatole Bristol
Le gang des farceurs

Les enquêtes
d'Anatole Bristol
Mystères et Visages pâles

Les enquêtes
d'Anatole Bristol
Voler n'est pas jouer

Les enquêtes
d'Anatole Bristol
Marabout et bouts
de mystère

Les enquêtes
d'Anatole Bristol
Anatole contre Arsène Lapin

Pardon Simon

Seuls dans l'espace

Princesse LinYao
et la perle
d'immortalité

Princesse Tya
et la disparition
du pharaon

Princesse Aphaïa
et les mystères
de l'Acropole

Le jour où j'ai
trouvé un trésor !

Collectionne les romans **Pas de géant** !

Les monuments
de l'ombre
1. L'énigme du chevalier

Les monuments
de l'ombre
2. Le labyrinthe du passé

Les monuments
de l'ombre
3. Le secret
de la neuvième heure

Les monuments
de l'ombre
4. La couronne perdue

L'échange

Peur sur le ranch !

La mystérieuse
expédition

Le journal de Lola

Le journal de Lola
Mon anniversaire
crise de nerfs

Les enfants
du labyrinthe

Esther Aranax

Un petit mot de l'auteure et de l'illustratrice

Ne vous fiez pas aux apparences ! Même si je suis mariée et mère de trois enfants, je suis restée une grande enfant qui collectionne les peluches, adore le chocolat et les histoires pour enfants qui parlent d'amitié. Au point de m'être mise moi aussi à en raconter !

Sophie Laroche

Un peu d'humour, de poésie, de l'aventure, de la couleur (beaucoup !) et un crayon de bois : voilà la recette de cette histoire qui m'a beaucoup touchée ! Dessiner les frimousses de ces talentueux détectives en herbe m'a beaucoup amusée, j'espère avoir transmis toute la joie de vivre de ces jeunes héros !

Carine Hinder (alias Mipou)